장선숙 시집

이렇게 좋은 날 3

믿음, 천국의 삶

이렇게 좋은 날 3

믿음, 천국의 삶

발 행 | 2023년 12월 14일
저 자 | 장선숙
펴낸이 | 유철기
펴낸곳 | 트랜스포마인드코리아
출판사등록 | 제 2022-000048 호
주 소 | 서울특별시 금천구 가산디지털1로 168, B동 201-18호 (가산동)
전 화 | 010-2258-8346
이메일 | support @trans4mind.co.kr

ISBN | 979-11-966227-8-7

이렇게 좋은 날 3

장선숙 시집

목차

제1부 기도

제2부 주님과 함께

제3부 동행

권두시

말씀 그리고 기도

항상 주안에 거하게 해달라고 기도합니다

말씀을 통해서 주님의 시선에 머물게 해달라고

하루라도 말씀을 가까이하지 않고 기도하지 않으면

내 생각 내 행동이 주님과 멀어져 둔해질까 봐

제 1 부

기도

오늘의 기도

오늘 하루 시작이
주님이 주신 감사로 시작하게 하옵소서

힘든 일 어려운 일이 오면
나에게 지혜를 주셔 경험 쌓게 해 주소서

좋은 일 기쁜 일이 오면
주님 은혜에 감사로
자족할 줄 아는 능력을 부여하소서

오늘도 당신의 사랑과 은혜로
소중한 하루 멋지게 꾸미게 하소서

주일의 기도

주일에 예배드릴 수 있고
말씀 듣게 해주시니 감사합니다

겉보기에 완벽해 보일지라도
그 속에 주님이 없으면 거룩할 수가 없고
남의 시선에 많이 한 눈 팔게 되는 나
오직 나와 주님만 압니다

오늘도 주님을 곁에 둔 채
외적인 것에 한눈판 것을 회개하오니
마음을 온전히 주님 쪽으로 인도하여 주옵소서

"나를 많이 사랑하느냐?"
주님의 질문에 자신 있게
"네"라고 대답하지 못하는 나
주님 긍휼히 여겨 주옵소서

오늘도 보이지 않지만
광대하신 주님 사랑에 힘입어
담대하게 나아갑니다

위대하신 주님께
감사와 찬양과 영광을 올립니다

월요일의 기도

주일 잘 보내고 오늘
하루 시작합니다
주님이 잘 보살펴 주셔서
시작하는 오늘 하루를
감사로 출발하게 하소서!

주님은 다 알고 계십니다
남 보기에 완벽한 것처럼
괜찮아 보일지라도
속은 그렇지 못하다는 것과
주님의 보살핌이 필요하다는 것을!

모든 것 주님께 맡기고
새 힘 얻어 담대하게
주님과 함께 나아가오니
주님 안에서 회복하고

복받기를 원합니다

오늘도 저의 하루가
주님 보시기에 좋았다
되기를 간구합니다

화요일의 기도

건강해서 일하게 해주시는
주님의 은혜에 감사하며
오늘 하루도 시작한다

매일매일 말씀 공유해 주어
우리 가족 모두가 한마음으로
묵상의 시간을 갖도록 해주는
딸들의 수고로움에 고맙다

보이는 것에 집중하다 보면
주님이 일하는 것이 아니라
내가 일할 때가 많아
우리 영혼이 지치고 힘들지만

그때마다 주님을 찾고
주님의 도우심으로 인해

주님이 일하심을 보고
우리의 믿음이 더욱 성숙해지는
주님의 한없는 사랑에 감사하는
그런 하루가 되기를 소망한다

수요일의 기도

주님! 오늘도 호흡하게 하고
생명 지켜 주셔서 감사합니다

매 순간 주님 곁에 있다고 주장하오나
그 순간도 제가 살아 있을 때가 많습니다

그래서 주님이 주신 축복 누리지 못하고
나의 시선에 고정되어 힘들어합니다
불쌍히 여겨 주소서!

주님이 최고 주권자 이심을 믿고
주님이 일하게 하여 주소서!
부르짖을 때 찾아와 도와주실 줄 믿습니다

살아 계신 주님
나의 요새이신 주님

말씀과 함께 주님을 찬송하며

오늘도 담대하게 나아갑니다

목요일의 기도

주님이 오늘도 저와 동행하니
주님 의지하며 나아갑니다

그런데도 주님보다 나를 앞세워
주님이 나를 위해 준비하신
많은 빛나는 보물을 보지 못합니다

저를 내려놓게 도와 주시고
온전히 주님과 함께 하는
즐거운 여행이 되게 하소서

오늘도 새롭게 시작된 하루
주님의 자녀 된 모습을 지키게 하소서

새 힘 새로운 에너지 주심을 아오니
주님만 바라보며 전진합니다

나의 힘이고 요새이신 주님 향하여

감사의 찬양 부르며 달려갑니다

금요일의 기도

주님! 새 아침 주셔서
내 마음 새로 시작할 수 있는 하루 주셔서
감사의 찬양을 올립니다

세상 속에서 볼 수 없는 것
주 안에서 볼 수 있어
글로 표현하게 해 주셔서 감사합니다

주님하고 보내면 주님의 마음을 알 수 있어
사랑을 말하고 남을 더 품어 안을 수 있게 하시니
그 큰 은혜 감사합니다

때로 내 마음이 무뎌져
감사가 적어지고 교만하게 될까 두렵지만
항상 주안에 있어 영원히
선한 영역과 아름다움을 보게 하소서

오늘 하루도 저를 위해
세심한 주의를 기울여 주시는
영원하신 주님께 영광 올립니다

토요일의 기도

오늘 하루도 좋은 말씀과 함께
출발할 수 있게 해주셔 감사합니다

나도 모르게 현실에만
나에게만 집중하다 보니
부정적인 마음이 많습니다

이 나약한 마음 불쌍히 여겨 주시고
말씀으로 비추어 주셔서
그 빛으로 여기까지 온 나의 삶,
주님의 은혜임을 고백하게 하소서

오늘도 새롭게 시작한
나의 삶을 오늘만이 할 수 있는 일로
멋지게 창조하게 하옵소서

매일 오는 하루를
당연하게 생각하지 않게 하시고
소중한 마음으로 하루의 문,
두 손 모아 두드리며 열게 하옵소서

오늘 주신 주님 사랑에 감사합니다
오늘 주신 주님 은혜에 감사합니다

오늘

오늘,
새로운 하루 주셔서 감사합니다

육체는 좀 피곤하나
모든 것을 오늘은 새로이 할 수 있어
흥분과 기쁨으로 맞이 합니다

내 마음의 실상이
실체가 되어 나타남으로
주 안에서 실상을
멋지게 기쁘게 크게 행복하게 만들면
주님이 좋아합니다

찬양 듣고 은혜 받으니
주님의 마음이 느껴져
그저 감사가 넘칩니다

감사의 하루

오늘은 감사하면서도
걱정이 많았던 하루였네요

스스로 강하다고 생각하나
금방 나약해지고 마는
한없이 연약한 존재임을
또 경험하게 된 날이네요

그때마다 주님을 부르짖으면
언제나 한결같이
힘주시고 품어주시는 주님
그 사랑에 감사합니다

내 지체가 연약할 때
조용히 침묵하며
주님을 믿고 나아갑니다

오늘도 힘주시고

도움 주신 하나님

그 은혜를 찬양합니다

믿음

감사합니다
근심의 어제는 다 지나가고
희망의 새 아침 주셔서

얼마나 감사한지요
주님 도우심으로
오늘 가볍게 시작할 수 있으니

또 한 번 확인했습니다
오로지 주님 붙들고 기도 밖에 할 것이 없다는 것
주님이 나의 모든 것을 보고 있다는 것
주님이 우리의 연약함을 다 알고 있다는 것
저희는 주님 도움 없이는 한 치 앞을 볼 수 없다는 것을

믿음이 더 클 수 있도록 매일 삶 속에서 고백합니다
나의 요새이시고 도움이신 주님을

오늘도 저희들과 동행하시고 역사하신 주님을

믿음이 더 커집니다
주님이 하고 싶은 일 하실 일은 꼭 하신다는

주 안에서 호흡하고 평안 누리는 하루가 되게 하소서!

평범속의 행운

주님!
평범한 하루가 시작됨에 감사합니다
아무 일 없이 일어나서 출근할 수 있는 게
큰 행복임을 깨닫습니다

주님!
새 힘 받고 오늘을 시작하오니
주님의 돌보심을 항상 잊지 않게 하시고
일상에 주님이 필요하심을 기억하게 하소서

주님!
오늘도 주 안에서 평안 누릴 수 있는
축복은 정말 행운이네요

주님!
오늘도 주님 같이 하심에

담대하게 능력 받고

주님께 영광 올리며 나아갑니다

최고의 날

어제는 과거가 되고 또 새로운 날
오늘 하루가 주어진 것에 감사합니다
나에게 주어지는 오늘의 상황도
모두 감사로 받아들이게 하소서!

주님은 우리가 주님 안에서 기뻐하며
우리의 삶이 거룩하고 가치 있기를 바랍니다
그러나 연약한 우리는 다람쥐 쳇바퀴처럼
일상생활에 파묻혀 나를 돌아보지 못하고
그때그때 일어나는 문제 상황만 보게 되고
오늘 주어진 소중한 가치를 잊어버리고
비판과 불평의 언행을 하게 됩니다

매 순간마다 주님의 뜻을 생각하면서
우리의 생각이 어디에 머물러 있는지
확인하고 분별하여 깨우치게 하소서!

주님과 함께 하는 오늘 하루가
주님과 더 가까워지고 주님 뜻 더 알아가는
더 아름답고 더 소중한 날이 되기를
소중한 우리 가족에게 말씀으로 무장하고
감사의 마음으로 보내는 오늘이
우리의 마음속에 기억되는
최고의 날이 되기를 간구합니다

일상의 축복

알지 못하는 미래 때문에 두려워하고
마음의 평안을 누리지 못할 때가 많습니다

한 걸음 한 걸음 주님과 가야만
또 한걸음은 내디딜 수 있다는 것
감사로 시작할 때 그 안에서
주님이 주신 많은 것을 볼 수 있다는 것
생각하는 아침 주셔서 감사합니다

오늘도 주님 안에서
내게 주어진 일에 최선을 다하며
주님이 부여하신 가치를 알 때
모든 것이 다 소중하고
기쁨과 평안의 힘을 얻을 수 있음을 깨닫게 하시니
주님을 믿고 나아가는 삶이 얼마나 소중한지
찬양하는 시간이 되기를 간구합니다

주님의 일이 무엇인지?
무엇을 기뻐하는지?
분별하는 능력을 주셔서
나의 본분을 한 순간도 잊지 않게 하소서!

오늘도 주님과 동행하면서
어떤 어려움도 불편함도 이겨내고
일상생활 할 수 있는 축복 주셔서 감사합니다

평범한 하루

주님! 평범한 하루
일할 수 있는 하루 주셔서 감사합니다

내 마음이 하나님 사랑으로 가득하여
내가 가는 곳마다 말과 행동에 아름다움을 주셔서
빛이 되게 하소서!

어느 누구와도 비교하거나 판단하지 않게 하시고
공의와 의의 겉옷을 입는 자 되게 하시며
마음을 항상 새롭게 하여 주시고
어둠 속에 들어가지 않게 돌봐 주시며
매일매일 주님의 마음과 동행하고
주님이 기뻐하는 일을 생각하게 하소서!

한 영혼 한 영혼 귀하고 소중히 여기는 마음과
나의 마음이 주님과 동일하게 하소서!

만물을 지으시고 주관하시는 주님께

감사와 영광 올립니다

제 2 부

주님과 함께

나의 주님

성령님! 성령님! 부를 때
내 심중에 들어온다

주님은 말한다
내가 너와 같이 하고 있고 너를 기다린다고
나는 너를 만나기를 너무 좋아한다고

나는 너무 좋아 주님한테
나의 마음을 폭포수같이 쏟아낸다
그때마다 주님은
주님의 크신 사랑으로 덮어 주시고
한량없는 은혜로 감싸 주신다

네가 나를 믿느냐? 질문을 많이 하신다
믿는다고 고백할 때마다
더 강한 믿음을 주신다

정말 위대하시고 사랑이 많으신 주님
크신 사랑으로 인해 호흡하고
새 생명 주시매 감사하고 영광 올립니다

주님의 은혜

주님의 은혜에 더 큰 눈이 떠지네

보지 못한 것을 보게 하고
아름다움을 보게 하고
기뻐함을 느끼게 하고
나를 통한 주님의 사랑을 알았네

시를 통해 나를 쓰고자 하는
주님 마음을 알았네

능력 없는 나를 능력 주시고
그 능력으로 기쁨을 누릴 수 있네

주님의 사랑

삶이 힘들어 모든 것을 놓고 싶어도
주님이 있어 견딜 수 있었네

혼자라고 생각했는데
주님이 있어 외롭지 않았네

내가 모든 것을 말할 수 있는 것도
주님이 있어 가능했네

주님의 크신 사랑에
지체 없는 눈물을 많이 흘렸네
그래서 사랑할 수 있었네

그 크신 사랑 때문에
아름다운 것을 볼 수 있고
삶의 기쁨을 찾았네

주님 안에서

오늘 만나는 산이
높을 수도 낮을 수도
굽이 많을 수도 있으나
평지가 되는 은혜
주님 안에서 누리세

아침마다 한마음 좋은 말씀 공유하니
감사로 시작하는 우리 가족
주님 안에서 파이팅 하세

힘들다 보면 그 속에 갇혀
때로 감사를 잊어버리지만
주님이 일 주심에 감사하며
피곤치 않게 힘주시고
그 일 감당케 하는 사랑
주님 안에서 나누세

주님의 뜻

오늘 하루 주심과
건강해서 일하게 하심과
일상생활 주심에 감사합니다

오늘도 일속에 파묻힐 때
주님이 주신 뜻을 잊어버리고
곤함에 파묻힐 때가 많습니다

그 속에서
주님의 뜻을 보게 하시고
기쁘게 일하게 하소서

주님이 주신 많은 보석들
나누면서 살게 하소서

나를 통해 주님이 이루고자 하는

주님의 뜻 깨닫고

작은 것부터 실천하게 하소서

주님의 선물

주님! 오늘 하루
또 선물로 주셔서
감사로 시작합니다

주님이 주신
오늘의 순간순간이 모두
감사의 선물입니다

감사로 충만한 일상에서
주님이 주시는 기쁨을
온전히 누리게 하소서

바쁘다는 핑계로
주님이 내 곁에 계심을
잊고 지낼 때마다
성령님 찾아오셔서

주님이 주시는 평안한 복
누리도록 인도하여 주옵소서

어제보다 더 새로운 하루
기쁨의 선물로 맞이하오니
나의 언행이 작은 빛이 되어
화평과 즐거움이 풍성하게 하소서

오늘도 주 안에서
믿음과 사랑과 화평이
더 큰 꽃으로 피어나게 하소서

사랑의 주님

나 혼자라 생각할 때
주님을 잊고 있을 때
모든 것이 힘들어
숨이 막힐 것 같았습니다

어느 날 찾아와
나와 함께 하는 주님!
사랑의 주님 향해
기도할 수 있는 축복 주셔서
어려움 닥쳐도 흔들리지 않습니다

내 능력보다 더 큰 능력 주셔서
고난의 순간순간마다
두려움과 걱정 없이 담대하게
주님 의지하며 나갈 수 있음을
기쁨의 찬양으로 고백합니다

때로 주님 주신 축복 잊어버리고
내 마음대로 속단하고 정죄하고
오해할 때가 많은 나약한 존재인 나!

그런 저를 사랑해 주시고
악에서 건져주시고
빛을 보게 해주신
주님께 영광 올립니다

주님 찬양

주님!
주님 안에서 생각할 수 있는 축복에 감사합니다

주님!
내가 무엇을 원하는지 다 알고 계시지요?
그리고 이미 나한테 다 주셨지요?
그런데 나는 자꾸 달라고 조르게 되네요

주님!
그럼에도 내가 주님을 닮아 갈려고 애써 노력합니다

주님!
이미 나는 주님 속에 있고 주님의 딸이니
모든 것은 내 힘, 나의 노력만이 아니라
주님의 따스한 손길이 어루만져 주셔야 된다는 것을 압니다 주님!
언제나 주님의 은혜 잊지 않기를 간구합니다
매 순간마다 분별하는 삶이 되기를 간구합니다
모든 일에 담대하게 나아가기를 간구합니다

바라는 것 그 이상으로 부어 주시는 주님!
오늘 또 허락하셔서 주님을 찬양할 수 있어 감사합니다

주님이 내게 말한다

네가 무엇을 하고 무엇을 생각하는지
나는 매일 보고 있다

네가 나를 찾으면
나는 네 심중에 들어가 너의 마음을 다스려
나를 나타나게 한단다

네가 찾지 않을 때는
나를 찾아 달라고 간절히 원하지만
너는 나를 찾지 않더구나

나는 네가 나의 그릇이 되도록 고난도 준단다
너는 나와 함께 잘 이겨 낼 것이다

너의 모든 것을 내가 안단다
어떠한 경우에도 내 심중에 머물러라

그러면 너는 나의 복을 받을 것이다"

오늘 너의 일을 다 봤단다
항상 나는 네가 다치지 않게 너를 안위하고 다닌단다
그러니 항상 나에게 거하라"

내가 항상 너를 도울 것이니 두려워하지 말아라
너는 나의 큰 상급이니라
너는 내가 사랑하는 자이니라

주님의 일하심

오늘 하루를 생각해 보니
내가 일을 하는 것이 아니라
주님이 많은 일을 하셨네요

내 몸이 내 것 같지만
생각도 주님의 것이요
행동도 주님의 것이었습니다

내가 죽고 주님이 살아 있으니
오늘 하루가 평안하고 모든 것이 감사네요

주님의 선하심과 인자하심을 또 보게 되오니
매일 깨어 있어서 나를 많이 비우고
주님으로 넘치게 채우도록 하소서

나의 입술을 아름답게 사용하게 하시고

내 눈은 선한 곳으로 인도하시고
내 마음은 하나님의 인자하심으로 가득 채워주시니
덕분에 나는 거룩함을 배우네요

이 마음이 무뎌지지 않기를 기도합니다

주님의 딸

아침에 일어날 수 있고
일할 수 있는 곳이 있어
오늘도 감사로 시작합니다

보는 곳에 초점을 맞추지 않고
보이지 않는 영의 주님에게 초점을 둠으로
마음을 선한 곳에 두고
주님의 뜻 생각하는 자 되게 하소서

언제나 동일하신 주님을
사랑이 많으신 하나님을
삶속에서 많이 경험하게 하시고
헛된 곳에 마음을 두어
상한 심령이 되지 않게 하옵소서

오늘 하루를 소중히 여기며

오늘도 저와 동행하시는 하나님을
편안히 모실 수 있게 하소서

주심이 주신 은혜를 많이 생각하는
나의 언행으로 하나님을 보게 하시고
오늘도 주님이 보시기에 좋은
사랑하는 딸이라는 것은 알게 하소서

주님 먼저

내 마음의 초점이 주님한테
매일 매일 가 있길 간구합니다

나의 삶 속에 들어와
주님의 일하심을 볼 수 있도록 초대하고
일하심을 보게 하소서

주님이 먼저가 아니라 내가 먼저가 되어
내가 하고픈 일을 우선순위로 생각할 때가 많습니다

내가 생각하고 내가 하고픈 대로 할 때가 많은 나를
기다려주고 사랑해주신 넓은 사랑에 감사합니다

내가 왜 사는지?
하나님이 원하는 삶이 무엇인지?
잊지 않고 주님한테

항상 질문하는 자가 되게 하옵소서

작든 크든 주님한테 먼저 아뢰고
주님의 음성을 듣는 자가 되어
주님의 복을 받게 하소서

오늘도 아름다운 은혜가 입술에 있게 하셔
주님의 복 누리게 하소서

위대하시고 도움이 되시는 주께 영광 올립니다

주님의 손길

주님!
오늘도 주님의 은혜로
하루 무사히 보낼 수 있어 감사합니다

어제의 피곤함이
주님의 은혜로 회복할 수 있었고
내가 약해 있을 때
주님의 일하심을 보게 하시고
어제와 다른 오늘이
더 좋아 감사합니다

마음이 무뎌
주님을 부르짖지 않음을 회개합니다

기도 속에 평온의 축복 주셔서 감사하고
오늘도 주님이 눈동자같이 지켜주시고

저와 같이하고 있다는 믿음 주심에 감사합니다

나로 인해 누군가가 상처가 아니라
주님의 인자하심과 사랑을 많이 느꼈으면 합니다

항상 주님 닮기를 잊어버리지 않게 하소서

오늘도 주님의 도우심의 손길이
무심하지 않길 바라며 영광 올립니다

길을 내주시는 주님

주님의 사랑이 너무 커 가슴을 울리네요
주님을 찬양할 수 있는 것 감사로만 여겼는데
노래할 수 있다는 게 축복이 크네요

입술을 줬지만 너무 하나님의 사랑이 커 부를 수가 없고
가슴이 떨려 그냥 있을 수가 없어
주님의 임재를 마냥 부르짖게만 하네요

나의 많은 죄 성을 씻어도 또 씻어도
또 죄 지움을 고백합니다

주님의 사랑의 전율을 놓치지 않게 하소서

주님 모든 것이 얼마나 감사한지요
주님의 은총에 나의 어리석음을 회개합니다

나의 삶 속에서 매일매일 맑은 샘물이 나오듯이

주님의 말씀이 생수가 되어 나의 영을 살찌게 하소서

주님! 감사합니다

그저 여기까지 인도하신 모든 거 감사합니다

주님의 은혜

주님의 알람 소리에 일어날 수 있고
일자리가 있어 가는 곳이 있어 감사합니다

어제 보다 더 많이
주님을 찾는 자가 되게 하소서

삶 속에 파묻혀
오지 않은 미래까지 걱정하다
오늘 하루를 누리지 못한
어리석은 행동을 할 때가 많습니다

그때마다
주님이 나를 통하여 하고자 하는 일을
방해하지 못하게 하소서

주님의 은혜가 차고 넘쳐
기쁨으로 맞이하게 하시고
감사가 넘쳐 마음이 선한 곳에 가게 하소서

주님이 주고자 하는 많은 것을 보게 하시고
나도 모르게 막지 않게 하시며
서로에게 현명하고 지혜를 베풀게 하소서

매일 매일 말씀으로 깨어 있어
작은 일에도 주님을 찾고
주님의 통로가 열리게 하소서

연약 하오나 주 안에서 능력 받고 가며
나로인히여 빛을 비추는 말과 행동을 하게 하소서

위대하시고 사랑이 많으신 주님께 감사합니다

삶의 주인 주님

구름을 몰고 오는 것도
구름을 가져가는 것도
주님만이 할 수 있는 일
위대한 능력의 주님을
새아침에 맞이합니다

우리의 숨결까지도 주관하시는 주님께
오늘 예비하신 하루가 빛이 되게 하소서

주님께 매일 대화하고 싶은데
바쁜 일 중에 깜박 잊어버리고
내가 살아 있어 모든 것을
나의 힘으로 할 때가 많습니다

그때마다 분별하게 하시고
주님 생각하게 하소서

놀라우신 주님

갈수록 물들어가는 단풍이
이쁜 띠를 휘감으니
너무 감격하여 기쁨을 감출 수 없네요

마치 화가가 그림을 그려 놓은 정경 같아
탄성이 나오네요

형언할 수 없는 아름다움을
주님 아니면 누가 대신할 수 있을까요?

주님의 손길은
색깔의 물줄기를 흘러내리고
떨어진 나뭇잎마저 돋보여 주시는 것도
주님만이 할 수 있음을 고백합니다

볼수록 이 감격을
주님과 호흡할 수 있어 영광이네요

이 순간 골차기가 평지 되는 평안함을 고백하며
아름다움을 벅찬 감동으로 표출할 수 있어 감사합니다

감추어진 천국의 비밀을 보는 것 같아
주님의 살아 계심을 고백합니다

잎이 마르지 않는 생수 같은 아름다움에
나의 교만을 내려놓고
주님만 자랑하며 찬미하고 찬송합니다

제 3 부

동행

말씀 묵상

소중한 두 딸과 사랑하는 남편이
카톡 방에 공유하는 말씀을 읽으니까
영혼이 풍성해지네요

매일 함께 호흡하시는 주님의 일하심과
한 생명 한 생명을 소중히 여기는
주님의 위대한 마음을 찬양합니다

사랑하는 우리 가족!
오늘도 주 안에서 평안한 복 누리세요

하은조

처음 만남에 너무 설레고 궁금했다
보는 순간 너무나 사랑스럽고 보배로웠다
만나면 만날수록 더 사랑스럽고 보석같이 빛났다
좋은 씨앗들이 우리 6조 밭에 모이게 한 것에 감사하며
주님이 주신 은혜로 아름답게 꽃피우고 열매 맺으리라

같이 웃고 울며
즐겁게 보낸 순간순간은
내 마음을 감사로 가득 채웠다

이제 흩어져야 할 시간이 다가오니
지나온 시간들이 벌써 이렇게 그리운데
두고두고 더 많이 그리울 거다

서로를 향한 따뜻함은
추운 겨울을 녹이는 온돌 같아

주님의 사랑과 천국을 볼 수 있어 감사하고
알곡 같은 분들과 함께해서 큰 영광이었다

하나님의 은혜를 체험하도록
소중한 시간 만들어 주신 분들께 감사드리며
우리를 지켜 주신 하나님께 영광을 올립니다

*하은조(하나님의 은혜가 충만한 조)

온세계교회 인카운터 제22기 조 이름

만남(하은조)

갈수록 서로에게 익숙해져 가는 하은조
그저 보는 것 자체만으로도 행복하다
서로를 알아 가면서 존중하고 배려하는 마음이 이쁘다
꽃이 피어나면 향기가 나고 이쁘듯이
하은조의 만남이 계속 그랬으면 좋겠다

따뜻한 국물은 마음을 녹여주고
다양한 야채 쌈의 조화로운 맛은
천국을 경험하게 하는 만남을 풍성하게 한다
이 또한 감사하며
항상 누군가의 수고로움이 있기에 가능하다

성령 동행

마음이 곤하고 힘들 때
내 욕심 내려놓고 주님 찾으니
좀 쉬어라 괜찮다
평안의 축복을 주신다

성령이 나와 함께 하니
내가 온전해지고
주님 능력 받으니
두려움 사라진다

주님 말씀 믿고 따르니
"걱정하지 말고 믿고 나아가라
내가 너에게 복을 줄 것이다"
성령이 내게 속삭인다

주님의 사랑 느끼며

말씀 따라 오로지 믿음으로

두 손 모아 간구하니

모든 걱정 사라진다

두나미스

하늘 문이 열려 별이 쏟아지더니
6부 성도들이 모였네

주님이 주는 각각의 달란트가 모이니
빛나는 보석이 되어
어두운 곳을 밝게 비추네

아름다운 하모니가 온 세상에 울려 퍼져
감동을 노래하니
우주에서 하나밖에 없는
귀한 소리라고 말하네

마음이 뜨거워서 은혜 받아 눈물이 나고
사랑의 홍수가 넘쳐 기쁨의 약을 먹으니
곤한 마음이 치유되고 회복되어 평안한 복 누리네

이 어찌 '두나미스'를 사랑하지 않을 수 있을까?

멀리서 봐도 제일 빛나서 눈에 띄고
만나면 고향 친구처럼 정겹고 안 보면 그립고
보기만 해도 활짝 핀 꽃처럼 이쁘네

이렇게 귀한 분들과 같이 할 수 있어
너무 영광이고 감사하며
'두나미스'의 모든 것을 사랑하네

*두나미스

온세계교회 6부 찬양대 이름

주일 은혜

주님! 변함없이 남편이랑 주일 예배에
동행할 수 있는 아침 주셔서 감사합니다

마음으로는 많은 근심과 걱정이 있었습니다
혹시라도 남편이 코피를 흘리게 될까 봐
주님한테 많이 간구한 거 아시죠?

겉으로는 아무 일 없는 것처럼
평소보다 더 명랑하고 평안해 보였는데
마음은 남편에게 집중했습니다

한편은 주님 믿고 가는 담대함으로 나아갔습니다
오늘 찬양이 얼마나 은혜로운지
나의 마음을 어루만져 주시는 주님의 사랑을
확인하는 순간 저와 함께하고 계시구나!
마음이 뭉클했습니다

주님의 은혜로 오늘 무사히 예배 드리고
집에 올 수 있어 감사합니다

보이지 않으나 나의 등 뒤에 계시고
찾지 않아도 나와 호흡을 같이 하시고
나를 항상 지켜보시고 나의 마음까지도
헤아려 주시는 신실하신 주님께
바다 깊이만큼 영광 올립니다

오늘의 선물

내 안에 내가 있어 오히려
온전한 평화를 누리지 못하네
주님은 우리를 위해
평안과 기쁨을 이미 준비해 놨는데

후회의 어제는 다 지나가고
희망의 오늘을 시작하도록
새로운 날 준비해 주시니
그 큰 은혜에 감사하네

나의 입술로 아름다움을 말하게 하시고
선한 영역에 머물게 인도하시는 주님!
오늘이란 선물은 오늘 하루뿐이니
귀하게 소중하게 보내라 이끄시네

나를 통해 주님이 일하심을 보게 하고

작든 크든 그 속에서 일하시는
주님의 손길을 느끼게 하네

주 안에서 기뻐하며 산다고 입술로 고백하면서도
순간순간 일상의 기쁨을 잊어버리는 나에게
주 안에 있을 때 가장 큰 기쁨을 맛보고
평안을 누릴 수 있음을 알아차리게 하네

나와 함께하며 나의 모든 것을 보고 계신
위대하신 주님을 찬양하네

오늘을 꽃 피게 하는 향기

맨날 오는 하루가 똑같다고
생각 없이 주님 없이 사는 자
되지 않게 하소서

오늘도 생명 · 호흡 주셔서
새로운 아침 맞이할 수 있어
감사드립니다

주님이 미리 가셔
나를 안전하게 하시리라 믿고
나의 부족함에도
주님의 능력 받아
담대하게 나아가게 하소서

나의 마음을 주님께 의탁하여
세상 것을 주님의 거처로 옮겨

떨리는 마음으로 꽃 피우는
하루를 만들어 가게 하소서

나의 길에
생명혼을 넣어 주신
주님께 감사합니다

오늘도 주님으로 인해
천국을 많이 경험하고
나로 인해 천국의 향이
구석구석 퍼지게 하소서

만물을 지으시고 주관하신
주님께 영광 올립니다

새 힘을 주시네

주님!
아침에 일어나니 새로운 하루 주셔서 감사합니다

찬란한 태양을 통해 빛을 보게 해주시고
새 울음소리를 통해 마음의 문을 열게 해주시고
아침을 상쾌하게 시작하게 해주심을 감사합니다

만물을 운행 하시는 주님을 보게 하시고
그 위대하심을 잊지 않게 하옵소서!

나의 작은 마음이 주님 안에서는 위대하게 하시고
나의 소심함을 담대하게 하신 주심께 영광 올립니다

내가 사는 목적이 무엇인지 알고
죽지 않는 사후의 삶에 초점을 두고 살게 하옵소서!

여린 마음 주님한테 힘 받아 나아가오니
일상적인 생활에 무뎌지지 않게 하시고
감사와 주님이 하시는 일을 보게 하시며
나를 위해 하루 만들어 경험하게 해주시고
살아가는 힘을 얻게 하옵소서!

오늘도 기적을 주신 주님께 영광 올립니다

보성비

주님이 주시는 귀한 선물로
설레는 맘 보고픈 마음
기대하는 마음으로
멋진 가을을 보냈네

나뭇잎이 바람에 떨림에도 벅찬 감동이 물들이듯
첫 만남에 첫사랑의 감동을 맛보았고

기도 제목 묵상을 통해
마음의 뜨거움과 사랑을 많이 배우며
주님의 기이한 빛을 보게 됐네

얼마나 주님이 사랑하는지
귀하고 보배로 생각함에
어찌 마음이 뜨거워지지 않을 수 있을까?

색깔과 향이 다르지만
시간이 갈수록 숙성되는 진한 향수에
서로가 위로하고 위로 받는 멋진 하모니

아름다운 열매가 비바람에 단맛이 더 진하듯
보성비님들의 달달한 소중한 만남
잊지 못할 것 같네

가을 단풍잎처럼 이쁘게 물들인 마음들
풍성한 만남에 감사하며
오래 기억할 수 있는 선물 받아서
주님께 영광 올리네

*보성비(보혈, 성령, 비빔밥)

온세계교회 인카운터 제23기 조 이름

동행

사랑이 많으신 주님!
은혜와 자비 베풀어 주심에 감사합니다

나의 연약함과 부족함을
주님은 다 아시고 말씀을 주셔 감사합니다

내 마음 깊은 곳에서
주님의 풍요함을 채워 갈급함을 채우고
모든 순간에 주님을 찾도록 하옵소서!

주님은 찾는 자에게 주신다는 말씀 믿고
약속을 지키시는 분이라는 것 잊지 않게 하소서!

믿는 자를 이길 수 있는 자는 아무도 없음을 고백합니다
주님의 풍성한 은혜를 덧입는 하루가 되게 하시고
어제보다 더 나은 하루임을 믿고

주님의 선물을 많이 받을 수 있는
그릇을 만들어 가게 하소서!

보는 것에 마음을 두지 않고
깊은 심지를 주님을 향하게 하소서!

오늘도 나를 향하여 일하시는 주님을 보며
나를 통하여 하고자 하는 일을 보게 하소서!

주님의 사람으로 만들어 가시옵고
사람들의 장점을 많이 보게 하소서!

어느 곳에 가더라도
나와 동행하여 주시는 주님께 영광 올립니다

새 출발

지난 시간은 보내고 은혜 가운데
새로운 마음으로 새롭게 시작하는
하루 주셔서 감사합니다

내가 하나님의 자녀라는
큰 특권을 주셔서 감사합니다

죄 많은 나를 주님의 보혈의 피로
아름다운 곳에 인도하시는 놀라움을 인지하며
하나님을 나타내는 소명을 잊지 않게 하소서!

작은 것 하나라도 결정할 때
주님을 부르짖고 따르는 자가 되고
시간이 지나 주님이 옳았다는 것을
많이 경험하고 간증하게 하소서!

나날이 좋아지는 하나님의 딸로서
주님 보시기에 오늘 하루가
헛된 생각과 행동으로 흠이 되지 않고
항상 깨어 있는 자녀가 되어
주님의 복을 받는 그릇을
매일매일 만들게 하소서!

아름다운 것 많이 보고 말하게 하소서!
선이 악을 덮어 주님의 사랑을 베풀게 하소서!

오늘도 귀중한 하루 주셔서 감사하고
어디를 가더라도 주님과 동행하게 하소서!

감사가 많은 날이 되게 하시니
나의 요새이시고 방패이신
주님께 영광 올립니다

천국의 삶

어느 한 순간에도 좋은 것을 주기위해
나의 순간순간을 지켜보시는 주님
주신 모든 것을 찾지 못하고 방황하며
내 생각으로 파묻히게 두지 마옵소서

구름이 벗어나면 하나하나 형체가 나타나듯이
흥분된 마음으로 주님의 사랑을 찾게 하소서

신실하신 주님은
오늘도 어제보다 더 좋은 선물을 주셨으니
내 마음이 매일 새롭게 탄생되게 하사
주님의 아름다운 덕을 많이 선포하게 하소서

바라보는 시선이 정죄하지 않으며
하나님의 선율을 타고
가슴속에 사랑의 뿌리를 박고

터를 단단하게 하여
모든 자들과 사랑을 나누며
하나님의 깊이 넓이 높이를
바르게 알아가게 하시고
내 영혼이 더 성숙해지며
오직 그리스도 안에서
평안과 화목의 복을 찾아
천국의 삶 누리도록 인도 하소서

동해의 아침

하나님이 하늘을 펼쳐 놓으신 수평선 끝자락에
너무나 아름다운 장관의 일출을 보게 하시니
울 가족에게 백만 불 그림보다
더 이쁜 풍경 선물 주셔서 감사합니다

주님만이 할 수 있는 놀라운 광경에
눈길을 뗄 수가 없네요

붉은 구름에
붉은 천사가 내려와 잔치를 하고 있네요
주님의 크신 손길이 얼마나 위대하신지요

오늘도 쉬지 않고 일하시는 주님의 호흡을
같이 쉴 수 있음에 감사 고백합니다

기이한 아름다움 속에
내가 할 수 있는 것
연약함을 알게 하네요

모든 것을 주님한테 맡기며 가는 울 가족이 되게 하며
해가 떠오르게 하는 것을 통하여
주님의 놀라우신 능력을 보게 하네요

멋지신 주님 바다 끝에 걸려있는
이글거리는 태양이 떠오를 때
주님의 힘이 대단함을 보았습니다

주님의 운행하심과
살아 계심을 생생히 보고 있습니다

울 가족의 삶을 주관하시는 주님께서
자비와 사랑으로 같이 하시며
저희들의 맘까지도 평안으로 인도하시는
주님께 영광 돌리며
서로에게 밝은 태양처럼 빛이 되게 하소서

멋진 하루 선물 주신 것에 감사와 영광 올립니다

마치는 시

주님의 가치와 사랑

오늘 생활할 수 있는 하루 허락하여 주셔서 감사합니다
내가 오늘 할 수 있는 일이 평범하지만
하나님이 주신 귀한 일이니 최선을 다하게 하시고
힘든 과정 속에서도 내가 주체가 되어
주님을 찾지 않고 해결하려는 마음을 버리게 하시고
주님을 찾는 자가 되게 하셔서
나의 자존감을 높이게 하시고
무능함에 사로잡히지 않게 하시며
내가 하는 모든 일이 나의 만족감을 위해서가 아니라
주님의 뜻을 채우는 일이 되게 하소서!
모든 관계 속에 주님이 주시는 가치와 사랑을 알게 하소서!
주님의 큰 뜻을 알고 살아가는 제가 되게 하소서!
위대하시고 사랑이 많으신 하나님 감사합니다
예수님의 이름으로 기도합니다. 아멘